Sydne Rome

Aerobic

Bewegungs-Training,
das Spaß macht

Originalausgabe

WILHELM HEYNE VERLAG
MÜNCHEN

HEYNE-BUCH Nr. 08/4872
im Wilhelm Heyne Verlag, München

Übersetzung und Bearbeitung: Regina Conradt

Copyright © 1983 by Wilhelm Heyne Verlag GmbH & Co. KG., München
Printed in Germany 1983
Fotos: Rainer Adolph, Alpha Press, Berlin
Umschlaggestaltung: Atelier Heinrichs & Schütz, München
Layout: Dieter Lidl
Satz: Fotosatz Völkl, Germering
Druck und Verarbeitung: Mohndruck, Graphische Betriebe GmbH, Gütersloh

ISBN 3-453-41561-2

Inhalt

DANKSAGUNG

Mein ganz besonderer Dank gilt den zwei reizenden Mädchen, die Ihnen auf vielen Seiten dieses Buches begegnen werden. Tina ist meine Lehrerin Nr. 1 im *Let's Move Studio* in Berlin, eine fabelhafte Organisatorin und kluge Freundin. Sie hat mich aus Los Angeles nach Deutschland begleitet und viel Enthusiasmus, eine Menge Hoffnungen und all ihr Können gemeinsam mit mir eingesetzt.

Claudia ist wahrscheinlich die erste deutsche Aerobic-Lehrerin, die meine Technik beherrscht. Sie ist von Anfang an in meinem Studio dabei und war mir eine große Hilfe und vor allem eine wunderbare Botschafterin.

Sydne Rome:
Wie ich zu Aerobic gekommen bin

Als ich vor drei Jahren nach Kalifornien kam, waren in meinem Leben große Veränderungen eingetreten. Ich hatte die Scheidung vor mir, und ich wollte nach zehn Jahren Europa wieder einmal eine Weile in meinem Heimatland leben.

Aber Los Angeles bedeutete einen gewaltigen Sprung in ein neues Leben, und es gab auf vielen Gebieten entscheidende Veränderungen für mich. Die Stadt war ganz anders, die Menschen schienen völlig verschieden von denen, mit denen ich vorher zusammengewesen war. Zuerst einmal mußte ich versuchen, das zu tun, was die Leute in Los Angeles für wichtig hielten.

Woran alle an erster Stelle interessiert waren, das war ihr Aussehen. (Immerhin ist Hollywood um die Ecke!)

Ich hatte das Gefühl, ich müßte mich auch darum kümmern, um mit ihnen Schritt zu halten, und so versuchte ich, mir ebenfalls diesen gesunden »California glow« zuzulegen, dieses frische, selbstbewußte Aussehen, mit dem man immer auf der Sonnenseite des Lebens zu stehen scheint.

Ich ging in ein Ballett-Studio, und dort geriet ich zufällig eines Sonnabendmorgens in einen Aerobic-Kurs.

Es war unvorstellbar – ich war fast nicht in der Lage, es zu glauben, wie sie dort alle fit waren! Welche Kraft und Ausdauer sie hatten – es war schlicht unfaßbar! Aber ich nahm mich zusammen und zwang mich, wieder in den Kurs zu gehen, denn alle sagten, Aerobic würde mir nur guttun.

Schon nach fünf Stunden merkte ich den Unterschied und konnte sehen, wie mein Körper sich verändert hatte. Und nicht nur mein Aussehen, nein, auch meine Energie und meine geistige Verfassung waren viel besser geworden. Ich mußte diesen Kurs unbedingt weitermachen, das war mir jetzt klar. Fortan verbesserte sich mein Wohlbefinden ständig.

Was mir am meisten gefiel, waren die psychologischen Veränderungen, die ich an mir merkte. Ich lernte mich besser zu organisieren, meine Zeit besser einzuteilen und war insgesamt viel optimistischer und positiver. Meine Kopfschmerzen verschwanden, und ich fühlte mich rundherum besser. Und das sah man mir auch an! Ich konnte richtiggehend körperlich feststellen, welche Hilfe mir Aerobic während dieser schwierigen Übergangsperiode mit all ihren Veränderungen geleistet hatte. Normalerweise hätte ich mich schlecht gefühlt, wäre eher selbstzerstörerisch gewesen und handlungsunfähig; jetzt konnte ich mich dazu bringen, meiner neuen Situation entgegenzusehen, egal, ob sie gut oder schlecht ausfallen würde.

Nachdem ich mehr und mehr mit dem Übungsprogramm vertraut wurde und immer mehr Spaß daran hatte, mußte ich daran denken, wie vielen Leuten – Frauen und Männern –, die ich in Europa kannte, so etwas guttun würde. Mich machten die Übungen richtiggehend »happy«, und ich fand, sie wären besonders gut für alle die Leute, die in Städten leben. Ich war sehr verwundert, daß Aerobic in Europa noch nicht bekannt war, und als echte Enthusiastin beschloß ich, in Berlin ein Studio zu eröffnen.

Ja, und nun gibt es dieses *Let's Move Studio*. Alle Leute sind sehr glücklich dort, und ich habe das Gefühl, sie haben viel Selbstvertrauen und eine Menge Selbstbewußtsein dadurch gewonnen. Und das wünsche ich Ihnen auch, und ich bin sicher, Sie werden es auch sehr bald zu spüren bekommen, wenn Sie mit Aerobic anfangen. Aber, passen Sie auf: Es kann zu einer Sucht werden, allerdings zu einer gesunden und fröhlichen »Besessenheit«!

Was ist denn nun Aerobic?

Sicher haben Sie den Begriff in letzter Zeit schon öfter gehört, aber was bedeutet er nun wirklich?

Im wörtlichen Sinne sind »Aerobier« Lebewesen, die nur dann leben und wachsen können, wenn sie Luft oder Sauerstoff zugeführt bekommen. »Aerobic« sind also alle Vorgänge, die unter Zufuhr von Sauerstoff ablaufen.

Im übertragenen Sinne ist mit »Aerobic« eine bestimmte Art von Gymnastik gemeint, die sowohl aus herkömmlichen als auch aus neuartigen Bewegungsübungen besteht. Es ist eine Mischung von Herz- und Lungentraining und konventionellen Körperübungen. Die besondere Note ist die flotte Musik, die für den Rhythmus der Bewegungen unbedingt notwendig ist.

Ich halte Aerobic für die beste Art von Gesamt-Körpertraining. Ich mache es seit drei Jahren und habe es noch nie sattgehabt. Es ist mir nie langweilig geworden, weil es eine immer größere Vervollkommnung möglich macht – körperlich und psychisch.

Wie kommen die Wirkungen von Aerobic zustande?

Wie jedes Ausdauertraining, so löst auch die Aerobic-Gymnastik im Körper eine Art Kettenreaktion aus: Angefangen von einer gut durchtrainierten Skelettmuskulatur entstehen allmählich innerhalb der Muskelzellen Stoffwechselveränderungen, die dann dazu führen, daß der Sauerstoff, der in die einzelnen Zellen und Gefäße kommt, im gesamten Körper immer besser genutzt wird.

Selbst in die kleinsten Blutgefäße, die Kapillaren, dringt mit dem Blut genügend Sauerstoff ein und fördert so durch eine Art Oberflächenvergrößerung die allgemeine Durchblutung. Bei Menschen, die ihren Körper nicht oder wenig trainieren, braucht das Herz zur Versorgung des Körpers bei bestimmten Anstrengungen natürlich mehr Sauerstoff, was zu einer stärkeren Belastung des Herzens führt. Wir kennen sicher alle diese Situationen: Irgendwann mutet man sich beim Treppensteigen oder bei einem kurzen Spurt hinter der Straßenbahn her etwas zu viel zu, und »spürt« auf einmal das Herz, weil es viel zu schnell schlägt. Durch ein regelmäßiges Training mit Aerobic-Übungen »lernt« das Herz, ökonomischer zu arbeiten; das heißt, sowohl bei Körperruhe als auch bei körperlichen Anstrengungen macht sich allmählich eine Senkung des Herzschlags bemerkbar. Das bedeutet auf die Dauer gesehen in gewisser Weise auch Schutz vor Herzbeschwerden, ja, sogar die Verringerung der Gefahr von Herzinfarkten. Aber auch alle anderen inneren Organe profitieren von der besseren Durchblutung. Außerdem wird die körperliche Gewandtheit und Gelenkigkeit verbessert, natürlich auch Kraft, Schnelligkeit und Ausdauer. Dadurch wird nicht nur das körperliche, sondern auch das seelische Wohlbefinden gesteigert.

Ich möchte Aerobic allerdings nicht zu einer Wissenschaft machen, denn ich bin der Meinung, daß man die Übungen mehr aus dem Gefühl heraus verstehen und handhaben sollte.

Was ist für die Aerobic-Übungen wichtig?

Sehen Sie sich die Übungen zunächst an, und wenn Sie sie dann ausprobieren, versuchen Sie, all Ihre Gedanken auf die Muskelgruppe zu richten, die gerade trainiert wird. Konzentrieren Sie sich jeweils auf einen »isolierten« Teil des Körpers und versuchen Sie, ihn soweit zu ermüden, bis er anfängt zu »brennen«. Wir nennen es: »Go for the burn!« Da wird unter Zufuhr von Sauerstoff tatsächlich das Fett in den Muskeln verbrannt. Das bedeutet, daß Sie gleichzeitig Ihren Körper von Giftstoffen befreien, wenn ein Körperteil stark angespannt wird.

Wenn Sie zu den Abschnitten des Aerobic kommen, bei denen Sie auf der Stelle laufen, hüpfen oder springen müssen, dann beginnen Sie mit einer Länge von sechs Minuten und versuchen Sie, sich möglichst schnell auf zwölf bis fünfzehn Minuten täglich zu steigern.

Hören Sie nicht auf während dieses Teils! Das Herz ist ein Muskel und muß wie alle anderen Muskeln auch benutzt werden, um eine gute Kondition zu behalten.

Das Trainieren muß ein Teil Ihres Lebens werden, so wie Essen und Schlafen. Sie werden schnell feststellen, daß Beständigkeit zu einer Art Sucht führt. Leute, die regelmäßig sehr intensiv trainieren, erleben eine Euphorie, nach der der Körper immer wieder richtiggehend verlangt. Also, geraten Sie ruhig ins Schwitzen, und tun Sie es auch häufig.

Dieses Aerobic-Programm sollte etwa eine Stunde durchgehalten werden und ist eine ausgezeichnete Aktivität, wenn Sie abnehmen wollen. Wenn man nur hungert, um sein Übergewicht loszuwerden, ist das lange nicht so effektiv wie eine Kombination aus Diät und Training. Sie werden viel gründlicher abnehmen, wenn Sie währenddessen regelmäßig Ihre Übungen fortführen. Die Übungen verursachen außerdem positive Veränderungen in der Art und Weise, wie Ihr Körper die Kalorien ausnutzt, so daß der einmal erreichte Gewichtsverlust auch leichter gehalten werden kann. Fett wird sich zwar niemals von selbst abbauen, aber durch Training und Diät lassen sich Ihre Körperformen verändern.

Das Training mit Gewichten bringt Kraft, stärkt die Muskeln und ergänzt und verstärkt die Wirkung. Man kann einfach zwei Konservenbüchsen mit Lebensmitteln als Gewichte benutzen, aber es gibt auch nicht sehr kostspielige Gewichte zu kaufen, mit denen Sie Ihre Hände und Knöchel üben können.

Wenn Sie Gewichte benutzen, sollten Sie Ihre Bewegungen genau kontrollieren. Zappeln Sie nicht mit den Armen und Beinen in der Gegend herum, bieten Sie Widerstand, benutzen Sie Ihre Muskeln! Anfänglich sollten Sie die Gewichte nur in zwei oder drei Übungen benutzen; also, fangen Sie langsam damit an, genau wie auch mit allen anderen Übungen! Versuchen Sie dann, jeden Tag ein bißchen mehr zu machen, aber bringen Sie sich nicht dabei um!

Einige wichtige allgemeine Ratschläge, bevor Sie an die Aerobic-Übungen gehen:

1. Bleiben Sie immer in Bewegung. Konstante rhythmische Bewegungen sind notwendig, um Ihr Ziel zu erreichen und einen gut funktionierenden Herz-Kreislauf zu bekommen. Die ständige Bewegung bildet den Unterschied dieses Programms gegenüber anderen Übungen und wird Ihnen besonders guttun.
2. Finden Sie Ihr eigenes Tempo heraus!
3. Sprechen Sie mit Ihrem Arzt, wenn Sie im Zweifel sind, ob Ihre körperliche Konstitution die Übungen zuläßt!
4. Ziehen Sie angemessene Kleidung an!
5. Lassen Sie mindestens eine Stunde nach einer vollen Mahlzeit vergehen, bevor Sie mit den Übungen anfangen!
6. Wenn Sie Durst haben, können Sie auch während der Übungen Wasser trinken, allerdings nicht gerade literweise Eiswasser! Eine kleine Menge zimmerwarmes Mineralwasser ist das beste.
7. Wärmen Sie sich ausreichend auf und kühlen Sie sich hinterher wieder ab!
8. Machen Sie die Übungen mindestens dreimal die Woche!
9. Gehen Sie nicht gleich anschließend in die Sauna oder in die heiße Badewanne, sondern kühlen Sie sich ganz normal ab!

10. Die allerwichtigste Sache, an die Sie ständig denken sollten, ist das ATMEN. Versuchen Sie, Ihren Atem dem Herzrhythmus anzupassen, oder atmen Sie nach dem Rhythmus einer Musik; auf jeden Fall: Atmen Sie immer richtig! Ich kann Ihnen die Wichtigkeit dieses gleichmäßigen Atmens nicht genug ans Herz legen, denn darin liegt das ganze Geheimnis für den Erfolg.

Die Kleidung

Auch Ihre Kleidung ist nicht unwichtig, denn davon hängt Ihr Wohlbefinden recht wesentlich ab. Turn- oder Jogging-Schuhe sind sehr zu empfehlen, denn sie betten die Füße gut ein und schützen sie. Sie können auch Jogging-Anzüge tragen, aber ich ziehe eher ein Tanztrikot vor, weil man sich darin besser kontrollieren kann. Sie können auch vor einem Spiegel trainieren und so Ihre Bewegungen vervollkommnen. Außerdem macht es mehr Spaß, in einem Leotard und mit hübschen Legwarmers zu trainieren, als in einem plumpen Trainingsanzug.

Die Übungen zum Aufwärmen und zum Abkühlen sind sehr wichtig. Lassen Sie sie nicht einfach weg! Wenn Sie sich ordentlich aufgewärmt haben, vermeiden Sie Verletzungen der Muskeln, der Gelenke, der Bänder und Sehnen und des Rückens. Ebenso wichtig ist es, die Übungen zum Abkühlen durchzuhalten, denn sie sind notwendig, um dem Körper den Übergang vom anstrengenden Training zur Ruhestellung zu erleichtern.

Ich mache anschließend gern fünf bis zehn Minuten Yoga. Es macht mich froh und ist gut zur Selbstbesinnung. Ich denke über mich selber nach, über meine Familie und was ich sonst noch tun könnte, um etwas besser zu machen.

Die Musik

Ich rate Ihnen, sich einfach Ihre Lieblingsmusiken zusammenzustellen. Am besten, Sie nehmen die Songs oder Stücke auf eine Kassette auf. Sie können klassische Musik genausogut benutzen wie »Saturday Night Fever«. Disco-Rhythmen eignen sich besonders gut, denn sie ähneln dem Herzschlag und wirken anfeuernd. Sie können aber auch jede andere Musik nehmen, die Ihnen gefällt, Hauptsache, sie ist *rhythmisch*!

Das Trainingsziel

Sie sollten auch etwas über Ihren Herzschlag wissen. Wahrscheinlich haben Sie schon etwas von »Trimm 130« gehört, es ist das Programm des Deutschen Sport-Bundes für Aerobic- oder Herz-Kreislauf-Training. 130 ist die mittlere Pulsfrequenz, die im allgemeinen während der Aerobic-Übungen erreicht werden sollte. Aber es hängt von unserem eigenen Maßstab ab, ob es zu viel oder zu wenig für uns ist.

Das Messen des Pulsschlags ist eine ausgezeichnete Methode, die Fortschritte und Wirkungen von Aerobic festzustellen. Verfolgen Sie Ihre Fitness-Ziele im Bereich des Herz-Kreislauf-Trainings und Sie werden feststellen, daß Ihr Herzschlag in Ruhestellung abnimmt (das ist ein gutes Zeichen) und daß Ihre Fähigkeit wächst, immer mehr zu erreichen, ohne zu ermüden. Das bedeutet, daß Ihr Herz-Kreislauf-System mit weniger Anstrengung effektiver funktioniert.

Es ist nicht schwer, den Pulsschlag zu messen. Fühlen Sie einfach mit den Fingern am Handgelenk, am Hals, an den Schläfen oder direkt am Herzen. Am leichtesten ist der Puls im allgemeinen am Handgelenk zu fühlen. Legen Sie drei Finger Ihrer rechten Hand an die Innenseite des linken Handgelenks und versuchen Sie, die Hauptschlagader zu finden, indem Sie direkt unterhalb des Daumengelenks fühlen. Zählen Sie 15 Sekunden lang die Schläge, nehmen Sie mal 4, wenn Sie in Ruhestellung sind. Wenn Sie gerade kräftig trainiert haben, dann zählen Sie 6 oder 10 Sekunden. Bei 6 Sekunden müssen Sie einfach eine Null an die Zahl der Pulsschläge anfügen, bei 10 Sekunden müssen Sie mit 6 multiplizieren, um auf die richtige Zahl zu kommen. Die 6-Sekunden-Methode ist allgemein anerkannt, denn mit ihr gelingt die richtige Einschätzung, weil der Herzschlag sehr schnell nach dem Abbrechen der Übungen wieder nachläßt.

Auch die 10-Sekunden-Zählung kann man ruhig nehmen, denn manchmal ist es leichter, wenn man versucht, wieder zu Atem zu kommen.

Hier ist eine Tabelle für die 10-Sekunden-Zählung:

Anzahl der Herzschläge in 10 Sekunden	× 6	ergibt den Pulsschlag in der Minute
10		60
11		66
12		72
13		84
14		90
15		96
16		102
17		108
18		114
19		120

Um Ihre maximale Herzfrequenz zu errechnen, nehmen Sie 220 minus Ihr Lebensalter. Um Ihr Trainingsziel auszurechnen, nehmen Sie 70 bis 85 Prozent Ihrer Maximal-Frequenz, und damit bekommen Sie eine Zielvorstellung über die Anzahl der Herzschläge in der Minute, die Sie erreichen sollten.

Wenn Sie also 40 Jahre alt sind, dann wäre Ihre maximale Herzfrequenz 180 Schläge in der Minute (220−40 = 180). Jetzt nehmen Sie 70% von 180 und Sie haben ein Trainingsziel von 126 Schlägen in der Minute; bei 85% sind es 153 Schläge. Wenn Sie sich nicht in körperlicher Hochform fühlen, dann sollten Sie nur 126 Schläge anstreben, wenn Sie regelmäßig streng trainieren, dann dürfen es 153 Schläge werden. Aber gehen Sie nicht über 85% hinaus, außer Sie wollen für die Olympiade trainieren!

Messen Sie Ihren Puls in drei Intervallen:

1. *In Ruhestellung:*
   Sie können dafür 15 Sekunden zählen. Machen Sie es mehrmals am Tag, um einen Durchschnittswert herauszufinden. Halten Sie sich vorher einige Minuten lang ganz ruhig!
2. *Sofort nach der letzten Aerobic-Übung.*
   So stellen Sie Ihre Bewegungs-Herzfrequenz fest. Sie können 6 oder 10 Sekunden zählen, aber es muß sofort sein. Nehmen Sie eine Stoppuhr oder eine Uhr mit Sekundenzeiger zu Hilfe!

3. *Nach der Erholung.*
   Wenn Sie richtig wieder abgekühlt haben, zählen Sie 15 Sekunden lang. Wenn der Pulsschlag noch 120 oder mehr beträgt, dann heißt das, daß Sie sich überanstrengt haben.

Die Ernährung

Schon am Anfang des Trainings – aber auch wenn Sie länger dabei sind – werden Sie feststellen, daß sich Ihre Eßgewohnheiten ganz von allein verbessern. Sie werden weniger Appetit haben, und Sie werden so viel besser aussehen, daß Sie gar nicht mehr so viel essen mögen. Halten Sie sich an große Mengen von rohen oder gekochten Gemüsen, essen Sie wenig oder gar kein rotes Fleisch, sondern Kalbfleisch und Hühnchen, die wenig Fett haben. Essen Sie ruhig Kartoffeln, sie sind gesund und haben viel Kalium. Wenn man stark schwitzt, verliert der Körper Mineralien und die müssen wieder ergänzt werden. Trinken Sie viel Wasser! Der Körper braucht mindestens zwei Liter am Tag. Sie können auch Säfte trinken, aber nicht so viel Kaffee und wenig Alkohol. Ein Glas Wein am Abend kann aber manchmal ganz entspannend wirken.
Salz und Zucker sind lediglich Geschmacksstoffe, und wir brauchen sie wirklich nicht, sie belasten nur unsere Gefäße. Hefe ist gut wegen des Vitamin B-Komplexes. Um die Vitamine C und E im Essen zu erhalten, sollten die Gerichte nicht zu lange gekocht werden!

Wenn Sie alle diese neuen Gesundheitsideen im Kopf behalten und wenigstens dreimal die Woche trainieren, dann werden Sie bald an sich selbst eine glückliche Veränderung erleben – geistig und körperlich.

Und denken Sie dran:

Es soll Spaß machen!

Übungen zum Aufwärmen

" Am Anfang einer Aerobic-Gymnastik stehen immer die Übungen zum Aufwärmen. Auch sie werden im Rhythmus der Musik gemacht, und dienen dem Schutz der Bänder, Muskeln und Sehnen.
Fangen Sie vorsichtig an, und versuchen Sie, Ihre Sehnen, Muskeln und Bänder jeden Tag ein wenig kräftiger zu dehnen! **"**

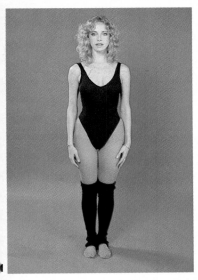

1+2 Ganz natürlich hinstellen, den Bauch einziehen, Pobacken fest zusammenkneifen und die Schultern unten lassen! Und nun: *Let's move!* Musik! Auf geht's!

3 Den Kopf nach vorne beugen …

4+5 … nach rechts – nach hinten …

6 … nach links. Und gleich noch einmal … … Kopf links – nach hinten – rechts – und vor!

4

5

7–9 Und nun den Kopf rollen!
Nach vorn – nach links – nach
vorn – und rechts. Im Halbkreis 2 ×
links und 2 × rechts herum.

7

8

9

10

10 Dann 2 vollständige Kreise nach links – 2 nach rechts drehen!

11 Jetzt mit geradem Kopf 4× nach links, dann 4× nach rechts drehen. Und nun mit Tempo: 8× links – rechts, links – rechts …

12 Versuchen Sie Ihr Ohr zur Schulter zu bringen, ohne die Schulter hochzuziehen. Links – und – rechts, 4×, dann mit Tempo noch 8× links – rechts …
Danach den Hals anspannen, und nach vorn und nach hinten strecken. 4× langsamer, 8× mit Tempo!

11

> ,, Während dieser Übung sollten Sie versuchen, alle Nackenmuskeln zu kontrollieren und den Hals möglichst lang zu recken. Damit Ihre Halsgegend und das (Doppel-) Kinn wirklich davon profitieren, konzentrieren Sie sich nur auf diese Muskeln, Bänder und Sehnen und arbeiten Sie mit Ihnen! ,,

13 Weiterhin im natürlichen Stand bleiben: Die Füße zusammen, die Schultern tief, der Hals ist lang, aber entspannt.

13

14 Zum Rhythmus der Musik rechte Schulter zum rechten Ohr hochziehen, linke Schulter im Wechsel zum linken Ohr heben. 8 × rechts – links, rechts – links …

14

15 Nun beide Schultern hochziehen und dabei nach hinten drücken! 8 × hoch und runter, hoch und …

15

16+17 Ohne zu stoppen und im gleichbleibenden Tempo zur Musik, den linken Arm über den Kopf strecken, seitlich ziehen und dann im Wechsel den rechten Arm rüberziehen. 8 × links-und-rechts, und links-und-rechts … Dann 8 × zur linken Seite, 8 × zur rechten Seite ziehen, nun 4 × links und 4 × rechts, 2 × links und 2 × rechts hinüber. Und nun nochmal im Wechsel 8 × rechts-links-rechts-links …

16

17

18

18 Mit gegrätschten Beinen aus der Hüfte nach vorne beugen, Arme rechts und links zur Seite strecken, den Rücken geradehalten, die Knie sind gestreckt. Federn, federn, federn! 8×.

19 Die Knie gestreckt lassen, beide Hände neben die Füße, dann in der Mitte klatschen. Wieder zur Außenseite der Füße mit den Händen – und klatschen! Insgesamt 16×!

19

20 Jetzt mit dem Oberkörper nach vorn laufen,
die Knie beugen und mit
den Händen durch die
Beine reichen. 16 ×
federn: vor und durch,
und weiter durch! Das
tut gut, nicht wahr?

20

,, Sie sind etwas ins Schwitzen gekommen?
Das schadet nichts! ,,

21+22 Die Beine wieder durchstrecken, in Schulterbreite grätschen und mit dem Oberkörper unten bleiben. Die rechte Hand zum linken Fuß führen, die linke Hand gerade hochstrecken. Nun den Oberkörper 8 × zum Knie anziehen. Unten bleiben und wechseln: linke Hand zum rechten Fuß und den rechten Arm hochstrecken. 8 × anziehen, wieder wechseln, 4 × links, 4 × rechts anziehen. Dann jede Seite 2 × und zum Schluß im Wechsel 8 × links-rechts.

23+24 Ohne sich aufzurichten, die Hände flach zwischen die Füße legen! Das rechte Knie nun beugen, das linke Bein lang ausstrecken. Federn! 1−2−3−4−5−6−7−8! Unten bleiben und das Körpergewicht auf das linke Knie verlagern. Ebenfalls 8 × federn. Dann wieder wechseln. Rechts 4 × und links 4 × federn! Nun noch 2 × auf jeder Seite, und dann im Wechsel links – rechts noch 8 × federn!

23

24

25+26 Die Hände auf dem Boden lassen, die Knie strecken und nun mit den Händen nach vorne laufen. Die Füße stehen parallel oder etwas nach innen mit den Fußspitzen. Jetzt die Fersen beide gleichzeitig hochziehen, die Knie aber gestreckt lassen! Hoch und hoch und hoch … Mindestens 16×. Na, und nochmal: 1 und 2 und 3 und 4 und 5 und 6 und 7 und 8!

25

26

27 Die Hände so lassen, die Füße aber schließen. Das rechte Bein ist lang gestreckt, das linke leicht einge-knickt. In dieser Position mit der rechten Ferse federn! 1−2−3−4−5−6−7−8!

27

28 Die Füße wechseln und nun links 8 × federn. Dann im Wechsel 4 × rechts, 4 × links, 2 × rechts und 2 × links federn. Und schließlich noch abwechselnd links-rechts 8 ×.

28

25

29+30 Die Füße zu den Händen zurücklaufen und zusammennehmen! In die Hocke gehen. Dann die Knie strecken und in dieser Stellung 2 × federn. Die Hände fest auf dem Boden lassen, mit dem Oberkörper unten bleiben und ihn 2 × zum Bein hindrücken. Nun wieder in die Hocke runter, 2 × federn, wieder hoch, den Oberkörper 2 × zu den gestreckten Beinen drücken, und wieder in die Hocke und 2 × federn. Nun im Wechsel 8 × strecken und beugen, strecken und beugen …

Merken Sie sich:
Während der gesamten Übung den
Bauch einziehen und den Kopf tiefhalten!

" Noch etwas: Ich habe Ihnen zwar Beispiele gegeben,
wie oft Sie jede Übung wiederholen sollen. Das sind
aber nur Angaben für den Anfang. Wenn Sie (allmählich)
in der Lage sind, mehr zu schaffen, dann tun Sie es.
Es wird Ihnen nur guttun! **"**

Aerobic-Übungen

Zuerst kommen die Übungen zur Stärkung und Ausbildung Ihres Herz- und Lungensystems.

Fangen Sie mit 6 Minuten an und steigern Sie sich bis zu 15 Minuten, ohne aufzuhören! Testen Sie Ihren Pulsschlag! Das Wichtigste ist jetzt, daß Sie Ihrem Körper viel Sauerstoff zuführen.

Atmen – tief einatmen – zischend ausatmen – einatmen!

Alles im Rhythmus der Musik und zum Schlag Ihres Herzens.

An der Zahl Ihrer Pulsschläge sollten Sie überprüfen, ob Sie zu viel oder zu wenig tun. Wie Sie das herausfinden können, habe ich in der Einleitung schon gesagt. Richten Sie sich nach Ihrer Herzfrequenz, werden Sie dementsprechend schneller oder langsamer. Aber nicht aufhören, bevor Sie nicht wenigstens 6 Minuten geschafft haben! *Keep moving* – immer in Bewegung bleiben! Sie können es schaffen! Es ist nicht schwer, wenn Sie sich Ihre Lieblings-Disco-Platte auflegen und ein fröhliches Gesicht machen. Jawohl: Lächeln Sie!

Halten Sie Ihre Bewegungen unter Kontrolle, ziehen Sie den Bauch ein, bleiben Sie fest – nicht herumschlenkern. Auch wenn Sie müde werden, lassen Sie nicht nach! Machen Sie ein bißchen langsamer, aber hören Sie nicht auf! Vor allem Ihre Beine müssen während dieses Teils ständig in Bewegung bleiben. Es gibt keinen Stillstand. Wenn Sie den Rhythmus der Musik durch den ganzen Körper spüren und ihm nachgeben, dann merken Sie selber, wie es Sie anregt.

Seien Sie schöpferisch! Fühlen Sie sich ganz frei und glücklich!

Also: Viel Spaß!

Wir fangen mit den Beinen an

Joggen, joggen, joggen ...

31+32 Im Rhythmus der Musik auf der Stelle laufen! Rechts-links, rechts-links, 5−6−7−8. Und nochmal, und noch 8×, dabei in die Hände klatschen!

33+34 Joggen und die Füße hinten hochziehen! Mindestens 16 ×.

33

34

35+36 Nun vom rechten auf den linken Fuß springen. Die Arme wechseln während des Springens die Seiten. Erst 8 ×, dann 16 × und nochmal 8 ×! Bravo!

35

36

37 Abwechselnd das linke und das rechte Bein zur Seite schwingen! Die Ellenbogen dabei im Wechsel nach oben ziehen und wieder fallen lassen. 16, besser 32 ×. Oder noch öfter!

37

38 Mit den Beinen genauso weitermachen, abwechselnd nun den rechten und den linken Arm von der Schulter aus hochstrecken und wieder zur Schulter fallen lassen. Links – rechts, links – rechts … 16 × sollten Sie schon schaffen! Na, und nochmal 8?

38

39

Jetzt etwas Twist!

39 Füße rechts,
Oberkörper nach links
drehen – springen, und
die Position dabei
wechseln.

40

40 Jetzt sind die Füße
links, der Oberkörper ist
rechts gedreht. Zählen
Sie jeweils 1−2−3−4−
5−6−7−8, und wieder-
holen Sie die Übung 5
oder 6×! Japs, japs?

41+42 Nicht nach-
lassen: nochmal joggen
und joggen und munter
in die Hände klatschen!
Nicht vergessen: ein-
atmen – ausatmen! Ganz
bewußt: einatmen –
ausatmen!

41

42

43

Nun springen wir den Hampelmann seitlich:

43 Auf und ab, und auf und ab! 16 oder mehr Male!

44

44 Die Arme in Schulterhöhe lassen.

45+46 Die Hände vorn zusammenführen, und nun abwechselnd das linke Knie 8 × und das rechte Knie 8 × hochziehen. Die Ellenbogen schön oben lassen! Nun noch 4 × rechts und 4 × links hochziehen, dann 2 × jedes Knie und schließlich abwechselnd insgesamt 8 ×. Schaffen Sie's noch 8 ×?

45

46

Ein bißchen ›Can-Can‹ gefällig?

47 Im fliegenden Wechsel die gestreckten Beine nach vorn werfen! Rechts-links-rechts-links … 16 × können nicht schaden! Oder auch weiter joggen, aber mindestens 16 × von einem Bein aufs andere!

48 Jetzt den Hampelmann nach vorn springen. Dabei jeweils ein Bein und den entgegengesetzten Arm vorn haben und fliegend wechseln. 24 ×, oder lieber noch 8 × mehr!

Können Sie
Hacke – Spitze –
1, 2, 3?

49+50 Also, die Arme
seitlich, die Hände an
den Schultern, und – los
geht's! Mindestens 32 ×.

49

50

51

52

51+52 Und jetzt noch eine spezielle Skifahrer-Übung: Twist rechts und links, Knie beugen und hochkommen. Die Arme dabei waagerecht in Schulterhöhe zur Seite strecken, damit Sie nicht die Balance verlieren. Halten Sie durch, solange Sie können! Danach wieder joggen, mit Ausdauer joggen! Ausjoggen, ausatmen, einatmen, ausatmen ...

War das nicht gut?

Wir kommen nun
zu den Armübungen

Sie sollten auch jetzt weiterjoggen oder sehr langsam von einem Fuß auf den anderen wechseln. Ganz nebenbei! Konzentrieren Sie sich hauptsächlich auf jeden einzelnen Ihrer Arm-, Schulter- und Brustmuskeln, denn die werden jetzt gründlich beansprucht.

53

53 Arme in Schulterhöhe seitlich ausstrecken und im Tempo der Musik kleine Armkreise nach hinten drehen. 1 und 2 und … bis 32 ×.

54 Handflächen jetzt nach außen, so daß die Fingerspitzen nach oben zeigen. Und wieder mit den Armen kleine Kreise ziehen. 16 × genügt!

55 Die Arme bleiben, die Hände werden zu Fäusten geballt – und weiterdrehen – 2 und 3 und 4 ... bis 24 ×.

56 Die Hände nach rückwärts drehen. Nun von der Schulter her bis zu den Fingern die Arme nach vorn drehen. Hinten-vorn, hinten ... 8 × wären das Minimum!

57

58

57+58 Die Arme lang ausgestreckt lassen, den Bauch ein-
ziehen, die Pobacken anspannen.
Mit der rechten Hand die rechte Schulter berühren und den
Arm wieder strecken. 8 × wiederholen!

Außer der Reihe:
Übungen mit Gewichten

Einige Übungen können Sie auch mit leichten Gewichten (etwa 500 Gramm) ausführen, um die Wirkung zu verstärken. Wenn Sie zum Beispiel mit wabbeligen Unter- oder Oberarmmuskeln zu kämpfen haben, sind die folgenden Übungen sehr hilfreich.

Hier einige **Fly-Positionen** aus dem Armübungsteil: Oberkörper vorgebeugt, Bauch einziehen und die Arme nach hinten! Die Ellenbogen sind hoch, dann den Unterarm beugen und vorstrecken! 8 × genügt!

I

Gleiche Rückenhaltung, aber die Arme vor dem Körper nach unten überkreuzen. Den Rücken gerade halten und: Kopf hoch!

Rechts oben: Die Arme seitlich heben und vom Ellenbogen aus vor der Brust anwinkeln. Tief atmen und schön den Bauch dabei einziehen!

II

„Ich finde, Gewichte von 500 Gramm sind ausreichend, denn die Aerobic-Übungen sind sehr schnell und deshalb auch ermüdend. Wenn Sie unbedingt wollen, können Sie langsam die Gewichte etwas erhöhen, aber ich finde, Frauen sollten auf keinen Fall schwerere Gewichte benutzen. Das können wir lieber den Männern überlassen!"

Den Körper aufrichten und die Hände bis über den Kopf überkreuzen. Langsam wieder zur Rückenbeuge und wieder hochkommen! 4 × rauf und 4 × runter, und immer schön die Gewichte vor und zurück! So das ist für's Erste genug!

59

60

59+60 Nun mit der linken Hand zur linken Schulter und wieder strecken. Ebenfalls 8 ×. Dann wieder 4 × rechts, 4 × links, nun 2 × rechts und 2 × links, schließlich noch 8 × abwechselnd. Am Ende beide Arme 8 × anziehen und wieder ausstrecken!

49

61

61 Jetzt sind die Arme wieder in Grundstellung. Die Ellenbogen sind gestreckt, die Handflächen werden nach hinten gedreht.

62

63

62—64 Den Unterarm bei weiterhin erhobenem Ellenbogen im Halbkreis nach unten und zur Brust ziehen und wieder strecken. Unten, vor und strecken … Na, sagen wir mal 16 ×!

64

65

65+66 Die Hände jetzt zu Fäusten ballen, dann die Arme in Brusthöhe überkreuzen und wieder ausbreiten. Die Ellenbogen dabei hochziehen. Kreuzen und zurück – insgesamt 8 ×.

66

67+68 Die Arme lang
hinter dem Rücken nach
unten strecken. Die
Hände anwinkeln, aber
die Fingerspitzen strek-
ken, so weit es geht. Nun
die Fingerspitzen zum
Körper richten und 8 ×
energisch die Hand-
ballen zusammenpres-
sen, 8 × die Finger-
spitzen vom Körper
wegstrecken. Beide
Seiten 4 × wiederholen,
dann 2 ×, dann ab-
wechselnd noch 8 ×.

67

68

53

69+70 Arme und Hände lang ausstrecken, den Bauch einziehen, die Pobacken anspannen und die Schultern tief halten. Jetzt mit Energie die Hände hinter dem Rücken überkreuzen. Einmal ist die linke Hand innen, das andere Mal die rechte. Im Wechsel 16 × mit Tempo. Das sollte Ihnen guttun!

69

70

71+72 Und weiter geht's mit dem Überkreuzen, während Sie den Oberkörper nach vorne beugen. Aber kein Hohlkreuz machen, sondern den Rücken geradehalten! Ellenbogen durchstrecken, auseinander und überkreuzen. Erst 8 ×, dann ruhig noch 8 ×!

71

72

73

73+74 Der Rücken bleibt gerade vorgebeugt, aber die Arme jetzt nach vorn ziehen! Die Hände zur Brust holen, die Ellenbogen nach oben anwinkeln!

74

Nun ein paar sogenannte Fly-Übungen!

75 Dafür die Arme nach hinten strecken. Und vor und anziehen und strecken. Wenn es geht, sollten Sie es 8 × mit Tempo durchhalten!

75

76 Noch immer die gleiche Körperhaltung beibehalten. Die Hände mit gestreckten Armen nach unten überkreuzen und den Rücken immer schön gerade lassen.

76

77

77 Jetzt ohne den Körper zu bewegen, die Ellenbogen von der Brust aus heben und nach oben ziehen, wobei die Arme sich anwinkeln. Im Tempo der Musik einatmen und ausatmen! Und den Bauch einziehen. Hoch und unten kreuzen! 8 ×.

78 Arme wieder über dem Boden kreuzen und abwechselnd die Hände voreinander überkreuzen.

78

79+80 Den Körper auf-
richten und dabei weiter
die Hände überkreuzen
und bis über den Kopf
hochziehen. 8 × beim
Aufrichten und wieder
runterbeugen!

79

80

81+82 Nun endlich die Arme ausschütteln. Den rechten Arm nach oben, den linken nach unten hinten und gegeneinanderdrücken. Im Wechsel je 4 ×.

81

82

83+84 In der Grätsche stehen, den Oberkörper zum linken Knie hinunterziehen und die Hände mit gestreckten Armen hoch über dem Rücken falten. Schön den Bauch einziehen! Beide Arme so weit wie möglich mit gestreckten Ellenbogen in Richtung Boden über den Kopf ziehen. 8 × links, dann 8 × rechts!

83

84

85 Nun noch 8 × in der Mitte! Und immer dabei federn! Aber dafür sorgt ja schon die heiße Musik!

85

Übungen
für die Taille

86

87

,, Diese Übungen beanspruchen die gesamte Muskelgruppe um die Taille herum, die sicher auch bei Ihnen
etwas mehr Bewegung brauchen kann. Also: kräftig
ziehen und drücken, so oft es Ihnen gefällt!
Konzentrieren Sie sich auf die Muskeln, die dabei
beansprucht werden! Spüren Sie sie? **,,**

86+87 Von den Armübungen geht es gleich zu den Taillen-
streckungen über. Die Arme wieder seitwärts ausstrecken, und
waagerecht aus der Taille nach links und nach rechts ziehen.
Wichtig: Die Hüften werden dabei stillgehalten! Das fällt Ihnen
sicher am Anfang etwas schwer, aber es muß sein!
Mindestens 8 ×.

88 Jetzt den rechten
Arm hochstrecken!
Beobachten Sie sich im
Spiegel, während Sie
den Oberkörper nach
links bewegen! Die linke
Hand drückt nach
unten, die rechte Hand
zieht neben dem Kopf
nach oben. Nun drückt
die rechte Hand nach
unten, der Oberkörper
bewegt sich nach rechts
und die linke zieht über
dem Kopf nach rechts.

88

65

89+90 Die Übung geht weiter: In der gleichen Bewegung wird die Stellung der Arme verändert. Statt über den Kopf wird der Arm angewinkelt und die Hand wird zur Achsel hingezogen. Die andere Hand drückt weiter nach unten. 16 × auf der einen Taillenseite hoch und drücken, dann 16 × auf der anderen Seite!

89

90

91+92 In dieser Serie bleiben Grundstellung und Bewegungen immer die gleichen, nur die Stellung der Arme ändert sich. Jetzt werden beide Arme über den Kopf neben den Ohren ausgestreckt. Die Hüften stillhalten, den Bauch weiterhin einziehen und den Oberkörper nach rechts strecken. 8 × hoch – strecken, hoch – strekken.
Rechts bleiben, die Hände hinter dem Kopf verschränken, und wieder ziehen und hoch. 8 ×.

91

92

93 Wieder die Position der Hände wechseln: Mit der linken Hand das rechte Handgelenk fassen, die Arme strecken und ziehen! Dabei immer den Oberkörper seitlich strecken. Auch 8×!

93

94—96 Jetzt die Serie auf der anderen Seite wiederholen!

94

95

Das Fett im Muskel wird
nur dann verbrannt,
wenn Sie wirklich hart
und lange auf der einen
Seite hintereinander
arbeiten, bevor Sie zur
anderen Seite über-
wechseln! Hat's ge-
brannt? Bravo!

96

97—99 Den Oberkörper nun nach vorn beugen, so daß er zu den Beinen einen rechten Winkel bildet. Die Hüften stillhalten, und nur den Oberkörper schwingen lassen. Also: Der Rücken ist gerade, die gegrätschten Beine bleiben gestreckt und aus der Hüfte wird gefedert! Auf und ab und strecken! 8 × zur rechten Seite, 8 × zur linken Seite und 8 × zur Mitte! Dann hängen lassen, und Arme und Oberkörper ausschütteln.

" Denken Sie daran: Der Bauch ist fest eingezogen, und der Rücken bleibt in dieser Übung immer gestreckt! **"**

Jetzt folgt eine Serie von Übungen für die Rückenseite der Taille. Merken Sie sich während dieser Übungen, daß der eine Arm immer hoch aufgerichtet sein muß, damit die Muskeln der Taille maximal beansprucht werden! Das macht sie schlank und geschmeidig – und schön!

100+101 Die Beine weit grätschen, mit der linken Hand den rechten Fuß berühren, den rechten Arm und das Gesicht zur Decke kehren – und zur anderen Seite wechseln! Legen Sie größten Wert darauf, während des Wechsels mit dem Oberkörper unten zu bleiben, sonst wirkt es nicht! Links und rechts, und links … Zunächst nur 8 ×!

100

102+103 Jetzt beim Wechsel das rechte Knie beugen, das linke aber strecken. Mit dem linken Ellenbogen das rechte Knie berühren, unten bleiben und wechseln: Das linke Knie beugen und mit dem rechten Ellenbogen berühren. Den linken Arm schön nach oben strecken! Ebenfalls 8 ×.

101

102

103

104

105

104+105 Noch tiefer beugen! Die gleiche Übung – rechtes Knie gebeugt, linkes gestreckt und umgekehrt –, aber jetzt den Ellenbogen zum Knöchel bringen und berühren. Links und rechts, und … jetzt sollten es 16 × werden!

106

106+107 Unten bleiben, aber die Knie jetzt strekken! Nun den Oberkörper zum linken Bein bringen und randrücken. Die Hände sollen leicht den Boden berühren, und nun 8 × federn! Unten bleiben, zur rechten Seite mit dem Oberkörper, und wieder 8 × federn! Na, geht's noch? Bestimmt hilft Ihnen die Musik!

107

108+109 Und jetzt den Oberkörper aufrichten, den Bauch einziehen, die Knie in der Grätsche leicht beugen! Mit geradem Rücken, die Ellenbogen in Schulterhöhe angewinkelt, die Fingerspitzen zur Decke gerichtet, aus der Taille schaukeln! Erst nach rechts, bis der rechte Ellenbogen das rechte Knie berührt. Den Rücken gerade halten, dann zur linken Seite schaukeln! 8 × sind leicht zu schaffen!

108

109

110+111 Während Sie zur rechten Seite schwingen, jetzt den linken Arm hochstrekken, den rechten Ellenbogen wie vorher zum rechten Knie federn. Im Wechsel rechts—links, und 8 ×!

110

111

112 In der Mitte anhalten, die Knie bleiben leicht gebeugt, der Oberkörper ist gerade aufgerichtet. Nun die Handrücken zum Gesicht ziehen, die Ellenbogen also anwinkeln und in Schulterhöhe halten!

112

" Merken Sie sich bitte: Es kommt nur etwas dabei heraus, wenn Sie bei diesen Übungen die Pomuskeln anspannen und immer kräftig zusammendrücken.
Ja, und richtig atmen – ein und aus, ein und aus – im Rhythmus der Musik! **"**

113+114 Jetzt den Oberkörper vom Kopf bis zur Taille aus der Hüfte heraus drehen! Wieder müssen die Hüften stillgehalten werden. Drehen, soweit es geht! Erst 8 × nach links, dann 8 × äußerst nach rechts, dann 4 ×, dann 2 × nach jeder Seite. Zum Schluß 8 × im Wechsel.

113

114

115

115+116 In der gleichen Beinposition bleiben, Oberkörper wie vorher drehen, Hüften stillhalten, und richtig wie ein Boxer den rechten Arm mit geballter Faust nach links schnellen, dann umgekehrt. Den Oberkörper dabei mitbewegen! 16×, auch wenn es ganz schön anstrengt!

116

Außer der Reihe:
Keine Angst vor Spagat!

Bevor Sie mit dieser Übung beginnen, will ich Ihnen etwas Grundsätzliches erklären: Der Spagat ist eine fabelhafte Übung, um den Schritt zu lockern. Wir alle sind in dieser Gegend eher etwas verkrampft, und es ist für die gesamte Gymnastik sehr nützlich, wenn wir hier etwas lockerer sind. Versuchen Sie, die Beine jeden Tag ein bißchen weiter auseinander zu bekommen! Strecken Sie die Beine und drücken Sie sie gestreckt zum Boden hin!

" Aber merken Sie sich: Dies sind Dehnungs-Übungen, also machen Sie nichts mit Gewalt! Seien Sie geduldig und spreizen Sie die Beine allmählich! "

Zunächst das Sitzen im Spagat. Langsam zum Boden federn, soweit es geht!

Drücken Sie den Oberkörper nun 8 × zum linken Bein und 8 × zum rechten hinunter. Versuchen Sie es noch 4 × und noch 2 × auf jeder Seite. Wenn es geht, auch noch einige Male im Wechsel. Sie kehren dabei das Gesicht dem jeweiligen Bein zu.

Jetzt machen Sie die gleiche Übung noch einmal, aber Sie gehen mit dem Hinterkopf zum Bein, die Brust ist weit, das Gesicht zeigt gen Himmel!

Und nun mit gespreizten Armen nach vorn beugen. So oft es geht – und so gut es geht! Und, bitte, nicht gewaltsam rucken, sondern sanft strecken. Leicht und weich dem Rhythmus der Musik folgen, und lockern, nicht verkrampfen! Es soll Spaß machen, nicht wehtun!

Noch eine Übung zum Taillen-Strecken:

117+118 Rechtes Bein nach vorn, linkes nach hinten – aber parallel bleiben! Das vordere Knie beugen, das andere gestreckt lassen, Arme über den Kopf strecken und mit dem vorderen Bein federn. 4×, dann wechseln. Wieder 4×. Wenn Sie wollen, ruhig wieder wechseln, und auf beiden Seiten die Übung wiederholen!

117

118

81

119

Und nun Übungen zur Sehnendehnung:

119+120 Im Pliés aufstellen: weite Grätsche, Ellenbogen in Schulterhöhe, Fingerspitzen zeigen nach oben. Die Füße nach außen stellen, die Pomuskeln anziehen und die Knie beugen. Dabei den Körper zwischen den Beinen nach unten drücken, so tief es geht. Es muß in den Oberschenkeln »ziehen«, trotzdem 16 × runter- und wieder hochziehen!

120

121+122 Im Pliés
bleiben, die Knie sind
leicht gebeugt. Jetzt mit
dem Fußballen auf dem
Boden die rechte Ferse
8 × hochziehen, dann
die linke ebenfalls 8 ×.
Jetzt jede Seite 4 ×,
dann 2 × und ab-
wechselnd noch 8 ×.

121

122

123 +**124** Und nun beide Fersen zusammen, und wieder ab, und wieder hochziehen. Nicht nachlassen, es geht schon noch 8 ×!

123

124

Jetzt sind die
Bodenübungen an der Reihe!

Holen Sie sich eine leichte Matte oder ein Handtuch, und ziehen Sie jetzt ruhig die Turnschuhe aus!

" Während dieser Übungen ist es übrigens gar nicht so wichtig, daß Sie Ihre Beine möglichst hoch hinaufstrecken, viel wichtiger ist hierbei, daß Ihr Körper in einer geraden Linie bleibt, und daß sich nur Ihr Bein bewegt, nicht der ganze Körper! **"**

125+126 Legen Sie sich auf die linke Seite und stützen Sie den Ellenbogen auf. Den Oberkörper hochhalten und Schultern, Hüfte, Knie und Füße in eine gerade Linie bringen! Nun die rechte Hand vor dem Körper auf den Boden legen, – rechtes Knie an die Brust ziehen und wieder zurückstrecken. Das Bein am Boden dabei ruhig halten!

126

127

127+128 Nun das gestreckte Bein mit ausgestrecktem Fuß nach oben schwingen und wieder ab. Die Übung läuft also: Knie zur Brust und ab, Bein gerade hoch und ab, zur Brust und ab ... Insgesamt 8 × wiederholen!

128

129

129 Den linken Arm lang ausstrecken, und alles in der Geraden wiederholen: 16 × zur Brust und ab und hoch.

130 Die Arme aufstützen, das linke Knie nach hinten anwinkeln und das rechte (obere) Bein gestreckt anheben. Die Hüfte nach vorn drehen, die rechte Fußspitze zeigt zum Boden. Das Bein 16 × hochheben und wieder zum Boden führen. Dann 8 × das rechte Bein in Richtung Kopf ziehen, aber parallel zum Boden bleiben!
Die Übung auf der rechten Seite liegend wiederholen!

130

131

131 Auf den Bauch drehen, den rechten Arm nach vorn ausstrecken, den linken Ellenbogen gebeugt unter den hochgehobenen Kopf legen. Das rechte Bein bis zur Fußspitze strecken und mit den Pomuskeln nach oben ziehen und wippen. 8 × hoch – hoch – hoch …

132 Fußspitze jetzt anziehen, und wieder 8 × hochwippen! Die Übung auf der anderen Seite erst mit gestrecktem, dann mit angewinkeltem Fuß wiederholen!

132

133

133 Auf die linke Hüfte legen, den rechten Fuß vor dem Oberschenkel des linken gestreckten Beines auf den Boden stellen! Den linken Ellenbogen auf den Boden aufstützen, Rücken gerade halten, und mit der rechten Hand den rechten Knöchel fassen! Das linke Bein vom Boden heben und 8 × mit gestreckter Fußspitze und 8 × mit angezogenem Fuß hochwippen. Auf der anderen Seite wiederholen!

134 Auf Händen und Knien das rechte Knie zur Nase ziehen.

134

135 Dann nach hinten hochstrecken. 8 × zur Nase und zurück. Der Rücken bleibt dabei gerade!

136 Das Bein gestreckt oben lassen und 8 × mal wippen. Die Fußspitze anziehen, wieder 8 × wippen!

137

137 Den Fuß wieder strecken und dann 16 × zum Po kicken. Also: Kicken–strecken, kicken–strecken.

138 Auf Knien bleiben, das rechte Bein jetzt seitlich strecken, und 8 × hoch- und runterziehen, aber ohne den Boden zu berühren! Auch die Fußspitze ist gestreckt.

138

139

139 Jetzt mit angezogenem Fuß ebenfalls 8 × rauf- und runter-gehen!

140 Beide Knie geschlossen auf den Boden! Nun das rechte Bein beugen und 8 × zur Seite hochdrücken.

Die Übungen auf der linken Seite wiederholen!

140

141

141 Gerade aufgerichtet auf den Boden setzen, das rechte Bein lang ausstrecken. Das linke Knie mit den Händen an die Brust ziehen! Das rechte Bein gestreckt vom Boden heben und 8 × hochwippen, ohne den Boden wieder zu berühren.

142 Fußspitze nun anziehen und so wieder 8 × wippen! Selbstverständlich alles mit dem anderen Bein wiederholen!

142

Problemzone für viele:
der Bauch!

Nun folgen Übungen, die ganz besonders für den Bauch gedacht sind. Konzentrieren Sie sich dabei vor allem auf Ihre Atmung und ziehen Sie den Bauch gut ein! Das ist wirklich sehr wichtig, denn falls Sie den Bauch nicht richtig einziehen, kann sich der Bauchmuskel statt nach innen nach außen ausbilden.

Ein kleiner Tip: Beim Hochkommen immer ausatmen!

Wir fangen mit den Sit-ups an:

Dazu ist vorab zu sagen, daß Sie sich beim Hochkommen ganz auf den Bauchmuskel konzentrieren müssen. Also nicht vom Rücken her aufrichten, vor allem nicht, wenn Sie Schwierigkeiten mit Ihrem Rücken haben. Wenn Sie es mit dem Bauchmuskel nicht schaffen, dann sollten Sie die Übung lieber sein lassen. Sie brauchen viel Kraft, um diese Übung richtig zu machen. Aber sie ist trotzdem zu bewältigen!

143

143 Auf den Rücken legen, die Arme über dem Kopf
ausstrecken und bis zu den Fußspitzen strecken, strecken!

144 Mit angespannten
Armen in Sitzposition
aufrichten, bis der
Rücken ganz gerade ist.
Ausatmen und den
Bauch einziehen!

144

145

145 Nun den Oberkörper auf die Schenkel pressen, danach wieder zurückgehen zur Sitzposition.

146 Jetzt langsam zurück zum Boden abrollen. Dabei den Rücken Wirbel für Wirbel auf den Boden zurückführen, während sich die Arme wieder über den Kopf heben. Das Ganze 8 × im Tempo der Musik!

146

147

147 Jetzt noch einmal (8×), aber beim Hochkommen zusammen mit dem Oberkörper das linke Knie anziehen, dann das rechte im Wechsel!

148 Danach wieder gestreckt auf den Boden legen!

148

149+150 Das linke gestreckte Bein und der gestreckte Oberkörper kommen gleichzeitig hoch. In der höchsten Position die Hände unter dem hochgezogenem Bein zusammenklatschen. Dann den Rücken wieder langsam abrollen und das Bein auf den Boden zurückführen! Ausatmen, und wieder hoch! Geht's 8 ×? Bravo! Dann das Gleiche auch noch 8 × mit dem rechten Bein! Und wieder hinlegen!

149

150

151

152

100

151+152 Nun die Hände unter den Po legen und den Bauch fest einziehen! Beide Beine gestreckt hochheben und im Wechsel wieder herunterlassen. Während das linke Bein hinuntergeht, kommt das rechte wieder nach oben, und umgekehrt. Jedes Bein 8×, auch wenn es hart wird!

153+154 Hände unterm Po lassen, beide Beine gerade hochstrecken und dann wie eine Schere überkreuzen. Auch 8×!

153

154

155

155 Beide Knie zur Brust ziehen. Nun im Wechsel ein Knie strecken und das andere fest zur Brust ziehen. Das gestreckte Bein aber nicht auf den Boden legen, sondern sofort wieder hochziehen! 16 × im Wechsel!

156 Die Übung mit hinter dem Kopf verschränkten Händen wiederholen. Bringen Sie dann den linken Ellenbogen beim Hochziehen ans rechte Knie und umgekehrt.

156

157

157+158 Im Liegen jetzt die Beine grätschen und die Füße auf den Boden stellen! Arme über den Kopf nach vorn bringen, den Oberkörper hochziehen und die Arme zwischen die Beine strecken. 8 × kräftig hin und zurück!

158

159

159+160 Die Arme nun mit gefalteten Händen hochheben, die Handflächen zur Decke drehen, strecken und den Oberkörper hochpressen. 8 × hoch und hoch und hoch!

160

161

161+162 Die Arme strecken und zum linken Bein hin hochziehen! 8 × wippen! Zur rechten Seite wechseln und ebenfalls
8 × wippen!

162

Nun zu den schwierigeren Bauchübungen!

Diese Übungen sind sehr wichtig und auch sehr lohnend. Konzentrieren Sie sich darauf, sie möglichst perfekt auszuführen, damit die richtige Wirkung erzielt wird. Die Bewegungen sollten sehr intensiv sein. Die Grundrichtung der Bewegungen ist aufwärts und hoch – nicht ab und runter. Nie mit dem Kopf den Boden berühren! Den Bauch nach innen ziehen, nicht nach außen drücken oder hängenlassen. Der Bauchmuskel muß sich nach innen ziehen und flach werden. Beim Hochkommen konstant ausatmen und ausatmen, das erleichtert es Ihnen sehr!

163

163 Sie liegen weiterhin auf dem Boden und haben die gegrätschten Beine aufgestellt. Die Hände werden hinter dem Kopf verschränkt und in die Mitte des Nackens placiert. Das Kinn zeigt gerade zur Decke hoch, die Augen schauen über den Kopf nach hinten.

Ausatmen und die Schultern, den Kopf und die Arme gerade hochziehen! Dazu nur den Bauchmuskel benutzen! 8 × schön fest ziehen! Nein, nicht das Kinn zur Brust ziehen! Ganz fest nach oben strecken! Ja, so ist's gut!

> **"** Hals, Arme und Gesicht dürfen jetzt nicht die Position verändern, sondern bleiben während der gesamten Übung in dieser Haltung! **"**

164

164 Nun das linke Bein gerade hochziehen und dabei ebenfalls den Oberkörper hochdrücken, so daß der Schultergürtel den Boden nicht berührt.
Während Sie den Oberkörper hochziehen die Beine wechseln. Linkes Bein – rechtes Bein und hoch und hoch! Es dürfen insgesamt 16 × werden.

165 Zum Schluß noch beide Beine gemeinsam 8 × heben, und daran denken: Schultern und Kopf bleiben immer hoch!

165

166 Den Oberkörper zum Entspannen aufrichten. Endlich! Die Fußgelenke mit den Händen fassen, und die Füße mit den Sohlen aneinanderpressen und zum Körper drücken! Ist das nicht angenehm?

167 Nun in der gleichen Sitzstellung den Oberkörper nach vorne beugen. Jetzt wird der Rücken endlich krumm, das Kinn geht an die Brust. Und beugen, beugen …

166

167

Es fehlen noch die Übungen
für den Pomuskel

168 Auf den Rücken legen, die Hände neben den Hüften mit
ausgestreckten Armen flach auf den Boden legen. Die Knie
grätschen und anziehen, während die Füße fest auf dem Boden
bleiben. Nun den Po vom Boden heben, so daß die Oberschenkel zur Brust hin mit dem Bauch eine Schräge bilden. In
dieser Haltung bleiben, nicht tiefer gehen und die Pomuskeln
anziehen und zusammenpressen.
Konzentrieren Sie sich ganz auf diese Muskeln, pressen Sie, als
wollten Sie einen Pfennig zwischen den Pobacken einklemmen.
Pressen—lockern—pressen … 16×.
Danach sollten Sie die Knie zusammenbringen und immer
weiter den Pomuskel anziehen, hochdrücken, anziehen. Wieder
16×!
Dann die Füße schließen und 8× anspannen und lockern.
Schließlich noch im Wechsel mit gegrätschten und geschlosse-
nen Beinen den Pomuskel weiter rhythmisch anspannen.

168

Einige Spezial-Übungen
für Fortgeschrittene

Es handelt sich bei all diesen Übungen um Gleichgewichts- oder Balance-Positionen, die erst gemacht werden sollten, wenn Sie in Ihrem Übungsprogramm schon weiter fortgeschritten sind. Also nicht gleich am Anfang versuchen, diese schwierigeren Dinge zu erzwingen, denn das nimmt Ihnen nur den Mut.

" Bei diesen Übungen sollten Sie beachten, daß jede Serie zuerst auf dem einen Bein zu Ende geführt werden muß, bevor Sie mit dem anderen anfangen.
Um möglichst die Balance zu halten, sollten Sie sich einen festen Punkt mit den Augen suchen und ihn immer im Blick zu behalten versuchen. Man nennt das *Spotting,* einen Fixpunkt halten. Auch beim Ballett behalten die Tänzer während ihrer hübschen Pirouetten auf diese Weise ihr Gleichgewicht. **"**

Spannen Sie den Bauch
und die Pomuskeln ganz
fest an, legen Sie die
Hände auf die Hüften.
Führen Sie das rechte
Bein mit angewinkeltem
Knie zur rechten Seite,
so daß der Oberschenkel
eine Waagerechte dar-
stellt. Strecken Sie die
Zehenspitzen und
tippen Sie damit zum
Boden hinunter. Zählen
Sie 2 × bis 8!

Führen Sie Ihr Knie
nach vorn, halten Sie es
gerade hoch!

Und nun das Bein strecken, und wieder anziehen. Strecken, halten und wieder anziehen. Dabei bleiben die Zehenspitzen immer schön gestreckt. Bis 8 zählen und noch einmal bis 8!

Jetzt das Bein gestreckt nach hinten führen! Das Knie ist gerade, die Zehenspitzen sind gestreckt und das Bein ist ganz angespannt.

Nun den Pomuskel fest anspannen
und durch diese Anspannung das
Bein gestreckt nach oben ziehen.
Einmal bis 8 zählen, und noch einmal!

Lassen Sie das Bein nach hinten
ausgestreckt und gehen Sie langsam
mit den Armen und dem
Oberkörper nach vorn zum Boden.
Stützen Sie die Hände auf, und verlagern Sie dabei Ihr Gewicht auf
Hände und Arme! Durch An-
spannung und Lockerung des Po-
muskels wippen Sie 8 × nach
hinten. Dann noch einmal bis
8 zählen und dabei den Fuß anziehen und wieder strecken.

Nun die Knie beugen, die Hände bleiben auf dem Boden. Den rechten Fuß anheben und an den linken Knöchel führen, dann seitlich strecken. Und wieder beugen, aber nicht den Boden berühren. 8 × strecken und beugen!
Danach aufrichten und die Beine ausschütteln. Dann die ganze Serie auf dem anderen Bein wiederholen.

99 Nicht vergessen: Der Bauch bleibt immer fest eingezogen! Sie können um so besser die Balance halten, je fester die Muskeln angezogen sind. Vor dem Spiegel können Sie Ihre Haltung immer wieder kontrollieren – auch einfach einmal während des Tages, wenn Sie an die Balance-Positionen denken. Ihre Haltung wird immer mehr Selbstbewußtsein ausdrücken. Und Sie werden es auch spüren: Sie fühlen sich sicherer, freier, gesünder – und fröhlicher. **99**

Cool-down
Meditation und Ausklang

Eigentlich ist dies der schönste Teil der Übungen. Sie müssen sehr tief ein- und ausatmen, mehr noch, als während der vorherigen Übungen. Machen Sie sich frei von irgendwelchen Gedanken und Überlegungen, konzentrieren Sie sich nur aufs Entspannen, lockern Sie in Gedanken jeden Muskel Ihres Körpers! Sie können auch hier die Musik nehmen, die Ihnen am besten gefällt, japanische, klassische oder indianische. Sie darf ruhig etwas sanft sein! Tief atmen!

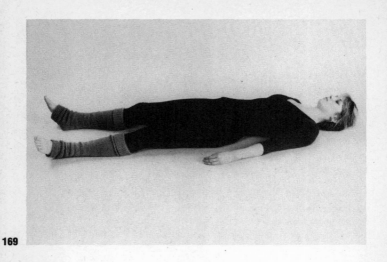

169

169—171 Locker hinlegen und ganz leicht ein Bein zur Brust ziehen, dann das andere Bein.

170

114

172 Jetzt das gestreckte Bein hochziehen, aber ohne Anstrengung, ganz langsam und entspannt.

173 Nun langsam, den Rücken mit den Händen abstützend, mit dem Körper zur Yoga-Kerze hochkommen. Entspannen, durchatmen, sehr ruhig werden!

173

174 Langsam die Beine gestreckt hinter dem Kopf auf dem Boden aufsetzen, und in dieser Stellung richtig entspannen! Einatmen, ausatmen.

174

> **"** Dies sind Yoga-Stellungen, die für die Blutzirkulation ausgezeichnet sind und nach dem harten Training eine hervorragende Selbstmassage darstellen. Seien Sie jetzt sehr nett zu Ihrem Körper, zwingen Sie ihn nicht! **"**

175 Die Knie zum Kopf hin anziehen und die Unterschenkel am Boden aufstützen. Weiter entspannen!
Nun die Beine wieder strecken und langsam den Rücken abrollen. Wirbel für Wirbel wieder auf den Boden kommen, bis Sie wieder in der Ausgangsstellung der Cool-down-Übungen angekommen sind, also gerade auf dem Rücken liegen.

175

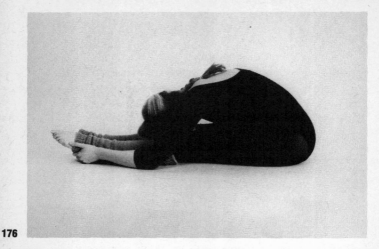

176 Aufsetzen, den Oberkörper an die Oberschenkel ziehen. Ruhig atmen und entspannen!

177 Auf Händen und Knien abstützen, den Rücken zum Katzenbuckel machen. Alles ist rund, der Kopf ist tief. So bleiben und entspannen! Tief atmen!

178

178 Den Rücken durchdrücken, das Gegenteil des Katzenbuckels machen!
179 Den Po auf die Füße bringen, die Arme nach vorn strecken, den Kopf mit der Stirn auf den Boden legen. Ruhig werden, entspannt atmen.

179

180

180 Ausstrecken zur Yoga-Löwen-Stellung!

181 Langsam in die Hocke gehen.

181

182+183 Die Fersen auf den Boden abrollen und Wirbel für Wirbel – ganz langsam – den Rücken zum natürlichen Stand aufrichten!

182

183

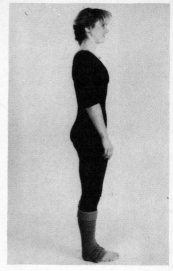

184+185 Ganz zuletzt kommt der Kopf hoch, dann im Stand noch eine Weile entspannen.

Das war's. Was sagen Sie nun, »Gott sei Dank« oder »schade«? Ich bin sicher, es hat Ihnen gutgetan.

" Warten Sie jetzt etwas ab, bevor Sie baden oder duschen. Trinken Sie erst einmal eine Tasse Kräutertee, einen Fruchtsaft oder ein nicht zu kaltes Mineralwasser! Genießen Sie den weiteren Tag mit neuerwachter Energie! **"**

Biographien

Sydne Rome

stammt aus den USA und wurde in Akron, Ohio, geboren. Sie wuchs dort auf und ging mit siebzehn an die *Carnegie Melon University,* um »Fine Arts« zu studieren, Schwerpunkt Theater. Sie schloß sich einer Theatergruppe in Pasadena an und wurde von dort aus zu ihren ersten Probeaufnahmen nach Italien geschickt.

Hier traf sie ihren späteren Ehemann Emilio Lari, der in Rom als Fotograf arbeitet. Zehn Jahre lang lebte sie in Rom, dann trennte sie sich von ihrem Mann und ging nach Los Angeles.

Bald darauf wurde in Kalifornien ihr Interesse an Aerobic und an der amerikanischen Gesundheitsbewegung geweckt. Diese »Bekanntschaft« führte schließlich zur Gründung des ersten europäischen Aerobic Studios in Berlin und zu diesem Buch, beides unter dem Motto: *Let's Move!*

Sydne Rome hat aber keineswegs ihre Filmkarriere aufgegeben. Sie versteht ihr Interesse an Aerobic als einen Teil ihrer allgemeinen Verantwortung, indem sie in ihrer freien Zeit den Menschen dazu verhilft, gesünder und glücklicher zu leben.

Sydne Rome hat bisher in 28 Filmen mitgewirkt, die bekanntesten sind sicher »Der Reigen« von Otto Schenk, »Was?« von Roman Polanski und »Looping« von Walter Bockmeyer.

Tina McKenzie

hat eine Berufsausbildung als Gymnastiklehrerin in den USA gemacht und arbeitete seit 1967 in bekannten Fitness-Salons und Gesundheits-Clubs. Sie bildete von 1973 bis 1980 den Lehrernachwuchs für den *Aquarius Health Club Los Alamintos* aus und arbeitete dann am *California Center for Weight Control*. Sie entwickelte zusammen mit Psychologen Verhaltensvorschläge für übergewichtige Männer und Frauen, bevor sie sich Aerobic verschrieb.

Claudia Alwast

ist gebürtige Berlinerin. Seit 1979 studiert sie an der Pädagogischen Hochschule Berlin Sport und Biologie und hofft, Ende 1983 ihr Examen machen zu können. Im Alter zwischen 10 und 15 Jahren war Claudia Leistungsturnerin im Leistungscenter Berlin. Sie hat im Laufe ihrer Ausbildung auch Kurse in klassischem Ballett und im Jazz-Tanz belegt. Seit September 1982 ist sie als eine der ersten deutschen Lehrerinnen für Aerobic in Sydne Romes *Let's Move Studio* beschäftigt.